C000147843

Simple poems change the mo

Thanks to Saskia, my famil   , ____a,
Rei, Ben, Hannah, Corra, Colin, Julie,
Richard P, Maria, Max and the SPAM team.

Cover by Greg Thomas.

Greg Thomas

from im and not this
(poems 2009-21)

SPAM Press 2021

$$\underline{1k}$$

$$\infty$$

<u>pun</u>

ctum

fringes
of air

fringes
of hands

fringes
of light

fringes
of hands

boustrophedon

```
asthe
olpxo
wsast
eyeeh
swims
```

lips tongues
larynx lungs

<u>flue</u>

```
            &
smoke  &  steam
smoke  &  steam
smoke  &  steam
smoke  &  steam
smoke  &  steam
smoke  &  steam
smoke  &  steam
smoke     steam
```

liminalanimal

spires

hrive
rofth
emout

<u>unwind</u>
s

<u>of unsnowing</u>

nimbostratus

gallus galluscene

```
ea
rth
ulna
atlas
femur
ilium
nasal
pubis
tibia
carpus
fibula
radius
humerus
ischium
patella
scapula
sternum
clavicle
coracoid
incisive
mandible
quadrate
wishbone
lachrymal
occipital
phalanges
pygostyle
metacarpus
metatarsus
epistropheus
eartheartheart
```

a stone's flow

throat

flotsam

jetsam

lagan

derelict

F

L

O

A

T

decoy
decoy
decoy
decoy
decoy
decoy
decoy
decoy
decoy
decoy
decoy
decoy
decoy
decoy
decoy
decoy
decoy
decoy
decoy
decoy
decoy
decoy
decoy
decoy
decoy
decoy
decoy
decoy
decoy
decoy
decoy
decoy
decoy
decoy
decoy
decoy→

<u>ascetic</u>

wan't

noun
unknoun

```
p         t         i         h              r
     e         t         r         i         c         o              r
p              t              i              h              r
```

abscent

quicklimequicklimequicklimequicklimequick
limequicklimequicklimequicklimequicklimeq
uicklimequicklimequicklimequicklimequickl
imequicklimequicklimequicklimequicklimequ
icklimequicklimequicklimequicklimequickli
mequicklimequicklimequicklimequicklimequi
cklimequicklimequicklimequicklimequicklim
equicklimequicklimequicklimequicklimequic
klimequicklimequicklimequicklimequicklime
quicklimequicklimequicklimequicklimequick
limequicklimequicklimequicklimequicklimeq
uicklimequicklimequicklimequicklimequickl
imequicklimequicklimequicklimequicklimequ
icklimequicklimequicklimequicklimequickli
mequicklimequicklimequicklimequicklimequi
cklimequicklimequicklimequicklimequicklim
equicklimequicklimequicklimequicklimequic
klimequicklimequicklimequicklimequicklime
quicklimequicklimequicklimequicklimequick
limequicklimequicklimequicklimequicklimeq
uicklimequicklimequicklimequicklimequickl
imequicklimequicklimequicklimequicklimequ
icklimequicklimequicklimequicklimequickli
mequicklimequicklimequicklimequicklimequi
cklimequicklimequicklimequicklimequicklim
equicklimequicklimequicklimequicklimequic
klimequicklimequicklimequicklimequicklime
quicklimequicklimequicklimequicklimequick
quickquickquickquickquickquickquickquickq
uickquickquickquickquickquickquickquickqu
ickquickquickquickquickquickquickquickqui
ckquickquickquickquickquickquickquickquic
kquickquickquickquickquickquickquickquick

aquacidaquacidaquacidaquacidaquacidaquaci
daquacidaquacidaquacidaquacidaquacidaquac
idaquacidaquacidaquacidaquacidaquacidaqua
cidaquacidaquacidaquacidaquacidaquacidaqu
acidaquacidaquacidaquacidaquacidaquacidaq
uacidaquacidaquacidaquacidaquacidaquacida
quacidaquacidaquacidaquacidaquacidaquacid
aquacidaquacidaquacidaquacidaquacidaquaci
daquacidaquacidaquacidaquacidaquacidaquac
idaquacidaquacidaquacidaquacidaquacidaqua
cidaquacidaquacidaquacidaquacidaquacidaqu
acidaquacidaquacidaquacidaquacidaquacidaq
uacidaquacidaquacidaquacidaquacidaquacida
quacidaquacidaquacidaquacidaquacidaquacid
aquacidaquacidaquacidaquacidaquacidaquaci
daquacidaquacidaquacidaquacidaquacidaquac
idaquacidaquacidaquacidaquacidaquacidaqua
cidaquacidaquacidaquacidaquacidaquacidaqu
acidaquacidaquacidaquacidaquacidaquacidaq
uacidaquacidaquacidaquacidaquacidaquacida
quacidaquacidaquacidaquacidaquacidaquacid
aquacidaquacidaquacidaquacidaquacidaquaci
daquacidaquacidaquacidaquacidaquacidaquac
idaquacidaquacidaquacidaquacidaquacidaqua
cidaquacidaquacidaquacidaquacidaquacidaqu
acidaquacidaquacidaquacidaquacidaquacidaq
uacidaquacidaquacidaquacidaquacidaquacida
quacidaquacidaquacidaquacidaquacidaquacid
aquacidaquacidaquacidaquacidaquacidaquaci
daquacidaquacidaquacidaquacidaquacidaquac
idaquacidaquacidaquacidaquacidaquacidaqua

monu
  ment
    ary

          mo
        ment
      al

<u>pelt</u>

lessunless

wmwmwmwmwmwmwmwmwmwmwmwmwmwmwmwmwmwmwmwmwmwmwmwmwmwmwmwmwmwmwmwmwmwmwmwmwmelt
wmwmwmwmwmwmwmwmwmwmwmwmwmwmwmwmwmwmwmwmwmwmwmwmwmwmwmwmwmwmwmwmwmwater

<u>quietly</u>

cloudly

days &
mouths
&years

Basho after
dsh after
Ray Johnson

frog
correspond
plop

<u>night-run (after Colin)</u>

mist appointment

```
//////////////////////\\\\\\\\\\\\\\\\\\\\\\
/////////////////////  \\\\\\\\\\\\\\\\\\\\\\
////////////////////    \\\\\\\\\\\\\\\\\\\\\
////////////////////     \\\\\\\\\\\\\\\\\\\\
////////////////////      \\\\\\\\\\\\\\\\\\\
///////////////////       \\\\\\\\\\\\\\\\\\\
//////////////////         \\\\\\\\\\\\\\\\\\
/////////////////          \\\\\\\\\\\\\\\\\\
////////////////            \\\\\\\\\\\\\\\\\
///////////////             \\\\\\\\\\\\\\\\
//////////////               \\\\\\\\\\\\\\\
/////////////                \\\\\\\\\\\\\\
////////////                  \\\\\\\\\\\\\
////////                       \\\\\\\\\\\\
///////                         \\\\\\\\\\\
//////                           \\\\\\\\\
/////                             \\\\\\\
\\\\\                               /////
\\\\\\                             //////
\\\\\\\                           ///////
\\\\\\\\                         ////////
\\\\\\\\\                       /////////
\\\\\\\\\\                     /////////
\\\\\\\\\\\                   //////////
\\\\\\\\\\\\                 ///////////
\\\\\\\\\\\\\               ////////////
\\\\\\\\\\\\\\             /////////////
\\\\\\\\\\\\\\\           //////////////
\\\\\\\\\\\\\\\\         ///////////////
\\\\\\\\\\\\\\\\\       ////////////////
\\\\\\\\\\\\\\\\\\     /////////////////
\\\\\\\\\\\\\\\\\\\   //////////////////
\\\\\\\\\\\\\\\\\\\\ ///////////////////
\\\\\\\\\\\\\\\\\\\\\///////////////////
```

dipdip
triptriptrip

pastoral

PRIVATE SITE

A small Scottish island on the West Coast
of Ross and Cromarty (for Saskia)

Isle of Ewe

[happended]